Nous remercions le ministère du Patrimoine canadien,
la SODEC et le Conseil des Arts du Canada
de l'aide accordée à notre programme de publication

  Patrimoine   Canadian
canadien   Heritage

  Conseil des Arts   Canada Council
du Canada   for the Arts

ainsi que le gouvernement du Québec
– Programme de crédit d'impôt
pour l'édition de livres
– Gestion SODEC.

Nous reconnaissons l'aide financière
du gouvernement du Canada
par l'entremise du Programme d'aide au développement
de l'industrie de l'édition (PADIÉ) pour ce projet.

Illustration de la couverture
et illustrations intérieures :
Gérard Frischeteau

Tableau des hiéroglyphes :
Catherine Trottier

Couverture :
Conception Grafikar

Édition électronique :
Infographie DN

Dépôt légal : 3e trimestre 2006
Bibliothèque nationale du Canada
Bibliothèque nationale du Québec

1234567890 IML 09876

Sombre complot
au temple d'Amon-Râ

• Série Snéfrou •

COLLECTION
PAPILLON

**Catalogage avant publication
de Bibliothèque et Archives Canada**

Gauthier, Evelyne, 1977-

Sombre complot au temple d'Amon-Râ

(Série Snéfrou ; 3)
(Collection Papillon ; 121)
Pour les jeunes de 9 à 12 ans.

ISBN 2-89051-976-7

I. Titre II. Collection : Gauthier, Evelyne, 1977-   .
Série Snéfrou ; 3 III. Collection : Collection Papillon
(Éditions Pierre Tisseyre) ; 121. IV. Collection :
Collection Papillon. Histoire.

PS8563.A849S64 2006   jC843'.6   C2006-940951-X
PS9563.A849S64 2006

Sombre complot au temple d'Amon-Râ

roman

Evelyne Gauthier

**ÉDITIONS
PIERRE TISSEYRE**

5757, rue Cypihot, Saint-Laurent (Québec) H4S 1R3
Téléphone : (514) 334-2690 – Télécopieur : (514) 334-8395
Courriel : ed.tisseyre@erpi.com

1

Mystère
sur les rives du Nil

Étendu sur la berge du Nil, Snéfrou prend une grande inspiration. Les gouttes d'eau qui ruisselaient sur sa peau brune il y a un instant, sèchent tranquillement. Merit-Neith, assise à ses côtés, joue distraitement aux osselets*. Hapouséneb se promène dans l'eau avec un harpon improvisé à partir d'une branche d'arbre pointue. De temps à autre, il lance son arme dans l'eau dans l'espoir d'attraper un poisson, mais sans résultat. Cela fait plusieurs heures que les jeunes profitent du fleuve.

— Je doute que tu réussisses à prendre une proie, dit soudain Merit-Neith.

Hapouséneb se tourne vers elle, piqué par sa remarque.

— N'en sois pas si sûre, rétorque-t-il, je suis le plus vif de ma famille, tu sauras. De toute façon, cet exercice me permet d'aiguiser mes réflexes. Même si je n'attrape rien maintenant, ce n'est qu'une question de temps.

Merit-Neith hausse les épaules, puis reporte son attention à ses osselets. Snéfrou se redresse. Il regarde le fleuve, en direction du sud. Un peu plus d'une quinzaine de jours plus tôt, les barques des dieux de la triade thébaine* sont parties vers Louxor* par le Nil. Snéfrou se rappelle les embarcations plaquées d'or et d'argent, ornées de pierres précieuses et affublées des attributs de chaque dieu.

C'est le dix-huitième jour de la fête d'Opêt*, l'une des plus importantes de l'année. Au cours de cette cérémonie, les statues des dieux sont transportées jusqu'au temple de Louxor, où les divinités séjournent près de vingt jours. Bientôt, le pharaon, souverain d'Égypte, sortira du temple, où il aura accompli des rituels et fait des offrandes aux dieux.

Snéfrou songe à Toutânkhamon*, à peine âgé de dix-sept ans. Que de responsabilités pour un adolescent de cet âge! Et dire qu'il est monté sur le trône alors qu'il avait tout juste neuf ans! Snéfrou se demande s'il aurait lui-même été capable de supporter tant de pression si jeune.

— J'ai bien hâte de revoir les barques des dieux, murmure Merit-Neith.

Snéfrou observe le ciel. Il est surpris de voir que le dieu-soleil Râ* a déjà entamé sa course vers l'horizon et qu'il sera bientôt avalé par la déesse Nout*. La plupart des gens qui se baignaient dans le Nil, où ils venaient porter des offrandes pour la fête, sont partis. Il ne reste plus que les jeunes. Merit-Neith et Hapouséneb, tout occupés à leurs activités respectives, n'ont pas remarqué qu'il se faisait si tard.

— Il serait peut-être temps de rentrer, déclare Snéfrou. Nos parents vont s'inquiéter si nous ne sommes pas là au coucher du soleil.

— Tu as raison, approuve Merit-Neith. Maman va sûrement me faire une scène si je ne rentre pas bientôt. Elle s'en fait toujours pour rien.

Snéfrou et Merit-Neith se préparent à partir, alors qu'Hapouséneb continue de suivre quelque poisson du regard.

— Hapouséneb, dépêche-toi, insiste Snéfrou.

— Oui, oui, j'arrive, répond distraitement le jeune pêcheur, tout en s'enfonçant plus encore dans les papyrus* et les roseaux.

Merit-Neith soupire d'exaspération en le regardant s'éloigner.

— Il va vraiment nous mettre en retard, si ça continue.

Tout à coup, Hapouséneb pousse un hurlement d'effroi. Alertés, Snéfrou et Merit-Neith se précipitent en direction de leur ami. Lorsqu'ils arrivent près de lui, ils sont figés par l'horreur de sa découverte.

Un homme entre deux âges gît sur la rive, camouflé au milieu des plantes. Les mains posées sur sa poitrine, d'où s'écoule un filet de sang, il chuchote des prières, les yeux fermés. De toute évidence, le pauvre est grièvement blessé. Une fois la panique passée, les jeunes s'approchent pour tenter de le secourir.

Merit-Neith remarque alors l'apparence de l'étranger. Les cheveux et tous les poils du corps rasés, des sandales blanches, une robe longue et ample faite de lin* d'un blanc pur: pas de doute, c'est un prêtre. Mais que fait-il là? Que lui est-il arrivé?

Hapouséneb songe quant à lui que l'inconnu a un visage étrangement familier, mais il ne saurait dire qui est cet homme. Il est sûr de l'avoir déjà vu auparavant, mais ne peut se rappeler où exactement, ni dans quelles circonstances.

11

— Ne... ne bougez pas, monsieur, nous allons vous aider, dit Snéfrou, même s'il n'est pas certain de savoir ce qu'il doit faire.

L'étranger saisit le bras de Snéfrou et s'accroche à lui. Il respire faiblement mais réussit à lui tendre un petit objet métallique et un morceau de papyrus.

— Inutile, écoutez-moi, murmure-t-il.

À la fois épouvantés et intrigués, les enfants se penchent sur le prêtre. Chaque effort lui paraît pénible.

— Des traîtres... partout... N'ayez confiance... en personne..., articule-t-il avec difficulté.

Sur ces paroles, le prêtre relâche son étreinte, ferme les yeux et pousse son dernier soupir. On aurait dit qu'il attendait une présence humaine pour enfin se laisser mourir. Les jeunes scribes* restent un moment interdits, comme en état de choc. Aucun d'eux n'a vu quelqu'un mourir auparavant, et c'est un spectacle horrible. Les enfants se sentent frustrés et désolés de n'avoir pu sauver cet homme. Le voilà parti pour le monde des morts.

Après quelques instants, Snéfrou sort de sa torpeur et observe le papyrus et la clé que l'étranger lui a donnés. À quoi peuvent-ils bien servir ?

— C'est vraiment affreux, marmonne Hapouséneb, stupéfait. Je me demande comment ce type a pu être blessé comme ça. C'est trop bête.

Merit-Neith se penche sur le corps du prêtre. Elle l'examine tout en prononçant une prière pour le repos de son âme et en exécutant quelques rituels. Finalement, elle se tourne vers ses deux amis.

— Ce n'est pas un accident. Cet homme a été assassiné.

2

Prudence...

— **Q**uoi ? s'écrient en chœur Snéfrou et Hapouséneb.

— Sa blessure, elle a été causée par une arme, répond Merit-Neith.

— Comment peux-tu savoir ça ? demande Hapouséneb.

La jeune fille ouvre doucement la robe du prêtre. Elle montre du doigt la plaie sur sa poitrine.

— Vous rappelez-vous les traités de médecine que maître Montouhotep nous a fait apprendre par cœur ?

Comment oublier ! Les garçons se souviennent en effet des textes parlant d'anatomie, de chirurgie et de pharmacie que leur professeur leur a fait lire et réciter pendant de longues semaines. Hapouséneb se plaint encore d'en avoir des cauchemars.

— Regardez la lésion à l'abdomen, ajoute Merit-Neith. Elle est mince et nette. Seule une arme a pu faire cela. Cet homme a donc été attaqué par un humain.

Snéfrou pense aux dernières paroles du prêtre : « Des traîtres partout... » C'est un avertissement !

— Que faisons-nous, maintenant ? interroge Hapouséneb. On ne peut pas le laisser ainsi, sans sépulture. Il faut bien qu'il ait tous les rituels et qu'il soit embaumé.

— Oui, mais il ne faut pas que l'on sache que c'est nous qui l'avons trouvé, ajoute Snéfrou.

— Pourquoi ? demande Merit-Neith.

— Le prêtre nous a prévenus de ne faire confiance à personne. Peut-être serions-nous en danger si nous parlions.

— Allons prévenir la police, propose Hapouséneb.

— Et qui te dit que ce ne sont pas eux, les coupables? rétorque Snéfrou. Cet homme a tenu à ce que nous sachions qu'il y a des traîtres partout. Et si nous tombions sur l'un d'eux sans le savoir? Il faudrait plutôt tenter de découvrir le fond de cette histoire et qui sont les assassins.

— Mais en attendant, qu'allons-nous faire du corps?

— Envoyons un message anonyme à la police, suggère Hapouséneb. Ainsi, les gardes pourront trouver le cadavre et faire une enquête. Comme ça, personne ne saura que nous sommes au courant de ce meurtre.

— Excellente idée!

Après s'être concertés, les enfants ont pris leur décision. Hapouséneb ira discrètement déposer un message anonyme à la porte de la caserne des forces de la police. Merit-Neith conservera le morceau de papyrus et Snéfrou, la clé. Il vaut mieux éparpiller les indices, au cas où on découvrirait que les enfants sont mêlés à cette étrange histoire. Par la même occasion, Merit-Neith tentera de percer le mystère du texte inscrit sur le papyrus.

— Qu'y a-t-il, sur ce manuscrit ? demande Hapouséneb.

Merit-Neith observe le document. Des hiéroglyphes* y ont été griffonnés à la va-vite.

— Hum... On dirait une sorte de poème, marmonne-t-elle.

*Croissant posé sur ta poitrine,
   insigne de ta dignité
Éclat du soleil, espérance de vie
   éternelle en provenance du Sud
Portant le cobra enroulé autour
   du disque de feu
C'est toi qui détiens la vérité*

— Que signifie ce charabia ?

— Ça ressemble à une devinette qui cache un message, répond Snéfrou. Je crois qu'il faut trouver à quels symboles le texte fait allusion pour comprendre.

— Je vais faire des recherches dès demain, annonce Merit-Neith. Nous finirons bien par trouver de quoi il s'agit.

Avant que les enfants ne se séparent pour regagner leur maison respective,

Hapouséneb soulève une question importante :

— Devrions-nous prévenir nos parents ?

— Je ne pense pas, dit Merit-Neith. Nous pourrions les mettre en danger en leur révélant ce que nous avons vu.

— Merit-Neith a raison. Il vaut mieux limiter les risques. Du moins, tant que nous ne connaîtrons pas les coupables.

Les jeunes scribes échangent un regard entendu, puis rentrent chez eux alors que le dieu-soleil, teinté de rouge, disparaît tranquillement derrière les maisons de Thèbes*.

Il fait nuit. Toute la ville est endormie. Hapouséneb se débat dans son sommeil. Il voit le prêtre assassiné dans ses rêves. Son visage lui rappelle quelqu'un. D'autres membres du clergé l'accompagnent. Le garçon observe l'homme qui fait des offrandes, agenouillé sur le bord du Nil. Sa longue robe blanche est tachée de sang. Pourtant, personne ne semble s'en apercevoir. Le prêtre se relève après avoir terminé sa prière et se jette dans le fleuve, où il disparaît.

Hapouséneb se réveille en sursaut, couvert de sueur. Il est essoufflé comme s'il avait couru pendant des heures. Son cœur bat la chamade. Désorienté, le garçon regarde autour de lui. Tout va bien : il est dans sa chambre et tout le monde dort à poings fermés.

Il se lève doucement, puis jette un coup d'œil à la fenêtre. Dehors, le dieu lunaire Khonsou* a déjà traversé la moitié du ciel. Le jeune scribe prend un peu d'eau dans la cuvette de sa chambre. Tout en buvant et en s'aspergeant, il songe à son mystérieux rêve.

Soudain, il est frappé par les détails dévoilés dans son cauchemar : la présence des autres prêtres, les offrandes et les prières sur la rive du Nil. Ça y est ! Il a compris, maintenant ! Il se souvient !

Très tôt, le lendemain, Hapouséneb est allé en catimini livrer un message à la police de Thèbes. Puis, il s'est dirigé

vers l'école, où il s'est empressé d'aller retrouver ses amis.

— Je me souviens de tout! annonce-t-il d'un ton triomphant. Son nom, c'est Merikarê!

— Qui? demande Merit-Neith.

— L'homme qui a été assassiné, c'est Merikarê, l'assistant du hem-netjer-tepey*, le grand prêtre du temple* d'Amon-Râ*!

— Tu veux dire que cet homme-là était haut placé dans la hiérarchie du temple! Mais comment sais-tu cela? demande Snéfrou.

— La mémoire m'est revenue en rêve cette nuit, explique Hapouséneb, très fier de sa découverte. J'ai vu cet homme la première journée de la fête d'Opêt. Il accompagnait le grand prêtre du temple d'Amon-Râ lorsque ce dernier s'est rendu jusqu'au Nil avec les barques de la triade thébaine. C'était un personnage très influent qui siégeait souvent au conseil du pharaon. Je crois que mon père s'est entretenu avec lui à plusieurs reprises.

— Par Khépri*! s'exclame Snéfrou, ébahi. Et moi qui croyais que les gens du temple étaient à l'abri de tout grâce à leur statut sacré! Peut-être était-il devenu une menace pour quelqu'un qui menait des activités compromettantes au temple...

— C'est possible, murmure Merit-Neith.

3

Escapade au temple

Une fois dans la salle de classe, Merit-Neith, Snéfrou et Hapouséneb s'assoient sur des nattes à même le sol. Ils prennent leurs pinceaux faits de roseaux effilochés, leurs godets de peinture, leur tablette et des morceaux d'ostracas*. Maître Montouhotep commence à lire le texte d'un papyrus saisi dans un coffre. Attentifs, tous les élèves transcrivent la dictée sur leur ostraca.

— J'ai bien réfléchi, chuchote Snéfrou pendant l'exercice.

— À quoi? dit Hapouséneb.

— Si Merikarê travaillait au temple et qu'il était mêlé à la politique, c'est probablement pour cela qu'il a été éliminé. Un prêtre rival d'un autre temple ou un conseiller malhonnête du pharaon aurait pu avoir intérêt à le faire disparaître. Je ne sais trop... Après tout, il y a eu des histoires semblables par le passé.

— Comme la guerre entre le clergé d'Amon-Râ et Akhenaton*, dit Merit-Neith.

— Ou comme le complot contre Toutânkhamon organisé par son conseiller Nedjemou[1], avec les Hittites*, ajoute Hapouséneb.

— Quelque chose dans ce genre-là, approuve Snéfrou.

— Bon, et alors? murmure Merit-Neith.

— Merikarê avait sûrement des amis, des proches, au temple. Peut-être certains d'entre eux ont-ils une idée de l'identité des coupables. Je crois qu'il faudrait essayer de leur parler.

---

1. Voir *Snéfrou, le scribe,* de la même auteure, dans la même collection.

— Tu disais pourtant toi-même que nous ne devrions discuter de cette affaire avec personne! s'objecte Hapouséneb.

— C'est vrai, mais j'y ai bien pensé, rétorque Snéfrou. Nous avons peu de chances de découvrir la vérité si nous enquêtons seuls.

— Que proposes-tu, exactement? demande Merit-Neith.

— Je vais aller seul rencontrer les prêtres du temple d'Amon-Râ. Je leur dirai que j'ai vu le corps de Merikarê, mais je ne leur dévoilerai pas tout ce que je sais. Ainsi, s'il y a des traîtres parmi eux, ils ne penseront pas que je représente une menace et ne me feront pas de mal.

— C'est beaucoup trop risqué! s'insurge la jeune scribe.

— Pas si vous gardez les indices en votre possession. Vous serez ma garantie, en quelque sorte. S'il m'arrivait quelque chose, vous pourriez encore agir. De cette façon, je crois que nous mettons toutes les chances de notre côté.

Merit-Neith et Hapouséneb se concertent du regard. Ils n'aiment pas tellement l'idée, mais peut-être que Snéfrou a raison... Après tout, comment faire pour découvrir ce qui se trame dans le clergé sans aide et sans en savoir plus sur Merikarê?

— Bon, c'est d'accord, se résigne Hapousénéb. Mais nous allons préparer un plan pour pouvoir te sortir de là au cas où tu aurais des problèmes. Pas question que tu te mettes stupidement en danger...

— Pouvez-vous me dire ce qu'il y a de si passionnant, vous trois? les interrompt soudain maître Montouhotep.

Les jeunes scribes lèvent la tête. Ils étaient si absorbés par leur conversation qu'ils n'avaient pas remarqué que Montouhotep avait arrêté sa lecture, et que toute la classe les observait. Le professeur aux traits sévères les regarde d'un air impatient, les bras croisés sur sa poitrine.

— Heu... désolé, maître, nous parlions de... notre dernier devoir, répond Snéfrou.

Maître Montouhotep leur lance un regard noir en maugréant. Il retourne finalement à la dictée. Les jeunes soupirent. Ils ont échappé de peu à une punition.

À la sortie de l'école, les jeunes discutent en grignotant une collation. Ils s'entendent sur un plan. Snéfrou se rendra seul voir les prêtres d'Amon-Râ, et taira le fait que ses deux amis sont au courant de cette histoire.

Au coucher du soleil, si Snéfrou n'a pas donné signe de vie, Merit-Neith et Hapouséneb alerteront leurs parents ainsi que les forces de la police. Les adultes pourront tirer Snéfrou des griffes des traîtres, le cas échéant. Au pire, le pharaon lui-même, qui connaît bien les jeunes scribes, n'hésitera sûrement pas à s'en mêler, lui aussi.

Merit-Neith et Hapouséneb repartent vers chez eux, laissant Snéfrou aller seul au temple. Ils sont très anxieux. Leur ami aura-t-il des ennuis ?

Une fois chez elle, Merit-Neith se plonge dans l'étude des papyrus que possède sa famille afin de percer au plus vite le mystère du poème.

Snéfrou longe le temple, qui se trouve juste à côté de l'école. L'enceinte du temple, qui est gigantesque, comprend entre autres la Maison de Vie*, le palais royal et les magasins. Le garçon se trouve dans la grande cour, qui sépare le premier pylône* du second. Snéfrou est impressioné par ces immenses murs de pierre en forme de pyramides sans tête. Il ne les a jamais vus d'aussi près. Il s'en approche. Il est nerveux, car en temps normal, seuls les prêtres et le roi ont le droit de pénétrer à l'intérieur du temple.

À l'entrée se trouve un jeune novice* vêtu de la robe blanche des membres du clergé. Il observe le garçon, une lueur interrogative dans le regard.

— Que veux-tu ? demande-t-il plutôt sèchement.

— Heu... j'aimerais voir le grand prêtre, si c'était possible, annonce Snéfrou, un peu intimidé.

— Il est absent à cause de la fête d'Opêt, répond le jeune homme, l'air un peu agacé. Tu devrais savoir cela, il me semble.

— Oui, mais... j'ai des renseignements concernant... heu... concernant la mort de Merikarê, son assistant.

Soudainement, le visage du jeune prêtre change. Ses yeux s'ouvrent démesurément, sa bouche reste grande ouverte, son teint pâlit... Une mine abasourdie et stupide s'imprime sur sa figure. On dirait presque qu'il a vu un revenant.

— Mais... pour... pourquoi ne l'as-tu pas dit plus tôt, mon garçon? Allez, viens avec moi, je vais te présenter à un membre important du clergé. Tu lui raconteras ton histoire. Il sera sûrement heureux de l'entendre.

Le novice saisit Snéfrou par le bras et l'entraîne avec lui à l'intérieur du temple sacré. Une fois l'entrée franchie, ils se retrouvent dans la seconde cour, qui est plus petite que la première. Ils ont tôt fait de la traverser. Quelques prêtres se promènent çà et là, mais la plupart sont absents à cause de la fête.

Le garçon sent le jeune homme anxieux et bouleversé. Il était probablement un proche de Merikarê... Bientôt, Snéfrou et son guide traversent une rangée de colonnes en forme de palmiers et atteignent l'entrée menant aux édifices sacrés. Le jeune scribe se sent de plus en plus mal à l'aise. Jamais il n'aurait osé rêver de pénétrer aussi loin dans le temple. Le voilà maintenant dans l'obscure salle hypostyle*, une chambre gigantesque dont le plafond est soutenu par des rangées d'immenses colonnes représentant des plants de papyrus. Le toit est découpé de petites fenêtres qui laissent passer de minces rayons de lumière. Snéfrou se sent oppressé par tant de majesté et de grandeur. Il en oublie presque de marcher, mais son guide l'entraîne avec lui.

Ils atteignent un hall très sombre et plus petit. Snéfrou remarque qu'à mesure qu'il avance, le plancher accuse une légère pente montante alors que le plafond s'abaisse graduellement. Les pièces rétrécissent. Le garçon sait que seuls des prêtres particuliers peuvent venir ici, habituellement. Il déglutit avec peine, tant il est impressionné.

Finalement, le jeune scribe parvient à la partie la plus sacrée du bâtiment : le sanctuaire, avec ses portes couvertes d'or. C'est là où se trouve le naos*, cette pièce qui renferme la fameuse statue à l'effigie d'Amon-Râ. En temps normal, ces portes sont protégées par un sceau, mais pas pendant la fête d'Opêt. Il n'y a personne aux alentours. Snéfrou est si troublé qu'il en a de la difficulté à respirer.

Soudain, le garçon reçoit un coup sur la tête et plonge dans les ténèbres.

4

Prisonnier
dans le naos

Snéfrou se sent étourdi, mais se réveille tranquillement. Il a la sensation que ses mouvements sont restreints. Sa vue est embrouillée. Le jeune scribe a l'impression d'être dans un sombre néant. À mesure qu'il s'habitue à la pénombre, le garçon reconnaît l'endroit où il se trouve : il est dans le naos !

Snéfrou tente de se lever, mais il en est incapable. Terrifié, il se rend compte qu'il est ligoté ! On lui a aussi appliqué

un bâillon sur la bouche. Il est prisonnier! Le garçon se souvient du novice.
C'est lui qui l'a amené ici. Le traître!

Quelle malchance! Il a fallu qu'il
tombe précisément sur le malfrat. Du
moins, sur l'un d'eux car, de toute
évidence, il n'est pas seul. Que faire,
maintenant? Ce novice va certainement
prévenir ses complices. Va-t-on l'obliger
à parler? Va-t-on finir par le tuer? Si on
l'a gardé en vie jusqu'à présent, c'est
certainement qu'il y a une raison. Mais
pour combien de temps peut-il espérer
demeurer vivant?

Snéfrou regarde autour de lui. La
pièce exiguë est plongée dans une demi-
obscurité. La seule lumière provient
d'une petite ouverture dans le plafond.
À la droite du garçon se trouve le coin
où la statue d'Amon-Râ devrait être. Mais
elle est encore à Louxor, en ce moment.
Devant l'espace vide sont posés des
restes d'offrandes de nourriture, d'eau et
de fleurs pour le dieu. Snéfrou se sent
pris d'un malaise. Il se trouve dans la
demeure d'un dieu! Même si la statue
sacrée est absente, une aura divine règne
dans le naos. La présence d'Amon-Râ

est bien réelle. Elle imprègne les lieux comme un parfum insistant.

Snéfrou a l'impression de commettre un sacrilège par sa seule présence. Pourtant, ce n'est pas sa faute s'il est là! Le jeune scribe se sent impuissant. Merit-Neith et Hapouséneb vont-ils prévenir à temps les forces de la police? Ou même le pharaon? Snéfrou sait que ses deux amis ne resteront pas inactifs, mais il sent que ses minutes sont comptées.

Les pensées du jeune scribe sont brusquement interrompues: quelqu'un approche. Qui est-ce? De simples prêtres du temple, ou les renégats? Snéfrou hésite entre les alerter en faisant du bruit ou se tenir tranquille.

La porte du naos s'ouvre. Snéfrou décide de fermer les yeux et de simuler l'inconscience. Il verra bien ce qui se passera. Il entend les pas feutrés de deux personnes qui s'approchent.

— C'est lui? chuchote une voix inconnue.

— Oui, répond la voix du novice.

— Par Sobek*! C'est un enfant! Pourquoi ne l'as-tu pas éliminé? Tu aurais pu le faire en claquant des doigts!

— J'y ai pensé, mais regarde ceci.

Snéfrou entend que l'on s'approche davantage de lui. Il sent une main saisir l'oudjat* qui pend à son cou, un précieux bijou que lui a offert le pharaon. L'amulette d'or et d'argent est ornée de lapis-lazuli*, de turquoises, de cornalines et d'améthystes. N'importe quel Égyptien, en la voyant, comprend immédiatement que c'est une parure royale.

— Par Khnoum*! Cette parure vaut une fortune. Toutânkhamon doit connaître ce petit personnellement.

— Tu comprends mieux maintenant, Hounifer, pourquoi je ne l'ai pas tué, murmure le novice. Assassiner un enfant de l'entourage du pharaon risquerait d'attirer l'attention sur nos opérations. Je n'étais pas certain de ce qu'il fallait faire, alors voilà pourquoi je t'ai fait venir.

Snéfrou ne peut s'empêcher de frissonner secrètement en entendant ces paroles. Ainsi, il est passé à un cheveu d'être supprimé à son tour. Décidément, son oudjat lui est d'un grand secours, encore une fois[2].

---

2. Voir *Snéfrou et la fête des Dieux*, de la même auteure, dans la même collection.

Mais le garçon se console, car grâce aux risques encourus, il détient deux informations qui pourraient lui être utiles : le nom de Hounifer et la certitude qu'il y a une malversation.

— Tais-toi, jeune idiot ! siffle Hounifer à son acolyte. Il pourrait nous entendre.

— Aucun risque, il est inconscient, répond le novice. Que devrions-nous faire de lui ?

Hounifer soupire, perplexe. Il semble hésiter, mais prend finalement une décision.

— Au besoin, nous allons lui administrer un mélange qui peut délier les langues, déclare Hounifer. Nous verrons bien ce qu'il sait réellement.

— Tu veux utiliser la drogue de vérité ?

— Nous n'aurons peut-être pas le choix. S'il en sait trop, nous l'éliminerons et nous nous arrangerons pour que son corps ne soit jamais retrouvé. S'il ne sait pas grand-chose, nous le relâcherons.

— Le relâcher ? Mais, il pourrait dévoiler aux autorités ce que nous lui avons fait subir !

— Nous avons des décoctions qui modifient la mémoire, répond Hounifer. Une fois qu'il les aura bues, il ne se souviendra probablement de rien. Ou alors, ses souvenirs seront si vagues qu'il ne pourra jamais nous dénoncer.

— Mais j'y pense… Pourquoi ne pas le tuer après l'avoir fait parler, tout simplement ?

— Parce qu'un mort, c'est déjà bien assez…

— Si notre plan fonctionne, sa relation avec le pharaon n'aura plus vraiment d'importance, puisqu'il ne sera plus de ce monde. À moins qu'il ne soit trop risqué d'agir maintenant? Après tout, nous avons failli nous faire pincer…

— Pas question! s'écrie Hounifer. Nous n'aurons pas de sitôt une belle occasion comme la fête d'Opêt pour passer à l'action. Et qui dit que le successeur du roi ne connaît pas ce garçon? Crois-moi, je ne le supprimerai que si je n'ai pas d'autre choix. Bon, réveillons-le pour l'interroger. Ensuite, nous aviserons.

Snéfrou sent une odeur répugnante passer sous son nez. Il est si surpris et dégoûté qu'il grimace et tousse en secouant la tête, puis ouvre les yeux. Hounifer enlève brusquement le bâillon de la bouche de Snéfrou.

Assez âgé, le crâne rasé, et plutôt corpulent, Hounifer porte une écharpe sur la poitrine. C'est un kheri-heb*, un prêtre lecteur. Un de ceux qui lisent les prières sur les papyrus sacrés. Hounifer est un individu imposant, qui a l'air habitué à ce qu'on lui obéisse. Il se dégage de lui une aura de puissance, et même de domination. Il observe Snéfrou de ses yeux perçants. Le novice se tient derrière lui dans une posture soumise, une expression méfiante sur le visage.

Terrifié, Snéfrou réfléchit à toute allure. Il se demande ce qu'il doit dire.

— Alors, il paraît que tu sais ce qu'il est advenu de Merikarê, mon garçon? Dis-nous ce qui t'amène ici, ordonne Hounifer sur un ton autoritaire.

5

Snéfrou
porté disparu

Nebtou, la nourrice de la famille de Snéfrou, court à en perdre haleine. Arrivée devant la maison d'Hapouséneb, elle tambourine du poing contre le battant de la porte. Une jeune servante ouvre la porte.

— Néferouptah, Hapouséneb est-il rentré à la maison ? demande Nebtou.

— Oui, ça fait déjà quelques heures. Pourquoi ?

— Mon jeune maître Snéfrou n'est pas encore revenu de l'école, s'inquiète la nourrice.

— Vraiment? Attends, je reviens.

Néferouptah disparaît quelques instants dans la demeure. Elle revient à la porte accompagnée d'Hapouséneb.

— Que se passe-t-il? demande le garçon.

— Snéfrou n'a pas donné signe de vie depuis plusieurs heures! s'exclame Nebtou. Ses parents et moi sommes très préoccupés. Personne ne sait où il se trouve. As-tu une idée?

Aïe! pense le jeune scribe. *Ça va mal. Très mal...*

Hapouséneb hésite. Il songe un instant à tout avouer à Nebtou, puis se ravise.

— Non... je ne sais pas..., répond-il d'un ton qu'il veut détaché.

Nebtou éclate en sanglots.

— Mon jeune maître! Que lui est-il arrivé? Bastet*, je t'en supplie, veille sur lui, pleurniche-t-elle.

Hapouséneb se sent coupable de faire souffrir Nebtou de cette façon. Il détient la vérité et pourrait tout révéler. Mais il sait que pour l'instant, il ne peut rien dire.

Peu de temps après le départ d'une Nebtou éplorée, Hapouséneb s'est arrangé pour sortir furtivement de la maison. Il a négocié avec son frère Kaouâb pour que celui-ci cache son absence.

Le jeune scribe espère que les parents de Snéfrou n'iront pas voir le pharaon tout de suite pour lancer une alerte générale. Mais, à bien y penser, le pharaon a bien d'autres chats à fouetter, avec la fête d'Opêt. De plus, personne, à part Merit-Neith et lui, ne sait où se trouve Snéfrou. Même si Toutânkhamon s'en mêlait, il ne saurait pas où chercher.

Le dieu-soleil est déjà presque couché. Bientôt, toute la ville de Thèbes s'endormira. Le garçon se dirige d'un pas décidé vers la maison de Merit-Neith.

Dès qu'il arrive chez son amie, Hapouséneb lance discrètement des pierres près de la fenêtre de sa chambre. Merit-Neith jette un coup d'œil par l'ouverture. Lorsqu'elle aperçoit son compagnon, elle lui fait signe de passer à l'arrière de la résidence. Hapouséneb et Merit-Neith s'y retrouvent quelques secondes plus tard.

— As-tu des nouvelles? demande la jeune fille.

— Snéfrou n'est pas revenu chez lui.

— Quoi?

— Nebtou n'a pas de nouvelles de lui depuis plusieurs heures, précise Hapouséneb.

— Oh non! Il doit encore être au temple! Ça ne peut pas avoir pris tant de temps pour prévenir les prêtres. Quelque chose cloche. Il est sûrement retenu prisonnier!

— Il faut aller vérifier! suggère Hapouséneb.

— Pourquoi ne pas informer les autorités? propose Merit-Neith.

— Je crois que c'est une mauvaise idée.

— C'est pourtant toi qui veux les prévenir depuis le début! Pourquoi Snéfrou et toi changez-vous constamment d'idée? C'est une manie! s'exclame Merit-Neith, agacée.

— Réfléchis, explique le garçon, si quelqu'un garde Snéfrou captif et que les forces du pharaon veulent fouiller le temple, le ravisseur va se sentir menacé…

Une lueur illumine le regard de Merit-Neith.

— ... et s'il se sent pris au piège, il pourrait prendre Snéfrou en otage... ou l'assassiner, termine-t-elle.

— Le mieux serait que le traître qui retient Snéfrou ne sache pas ce qui l'attend. Je suggère donc la discrétion la plus absolue.

— Il faudra bien planifier notre coup. C'est le temple sacré d'Amon-Râ, ne l'oublions pas. Y pénétrer sans se faire remarquer représente tout un défi.

— Je sais, répond Hapouséneb. C'est pourquoi il va falloir user de ruse. J'ai une idée pour ça. Nous aurons besoin de matériel pour grimper à un mur.

— Ne bouge pas, je reviens tout de suite.

La jeune fille rentre chez elle, puis ressort avec une longue corde et un crochet. Les deux amis conviennent d'attendre encore quelques instants que la noirceur soit bien tombée. Leur disparition passera inaperçue quand tout le monde sera endormi.

— As-tu réussi à déchiffrer le texte du papyrus? demande Hapouséneb.

— Je crois avoir décrypté une partie de l'énigme. Le vers « Éclat du soleil, espérance de vie éternelle en provenance du Sud » fait référence à l'or. Ce métal est l'un des symboles de la vie éternelle. Et d'où provient-il ?

— Des mines de Nubie ! Au sud ! s'écrie Hapouséneb.

— Exact. Ensuite, le cobra autour du disque de feu, c'est l'uræus*, ajoute Merit-Neith. Quant au croissant, je ne suis pas encore certaine. Il se peut que ce soit une allusion à un bijou, mais la description n'est pas claire. Et pourquoi cet ornement détiendrait-il la vérité ? À quoi fait-on référence, exactement ?

Les deux enfants se taisent, absorbés dans leurs pensées angoissantes. Ils songent au secret du papyrus, et surtout à Snéfrou. Qu'est-il arrivé à leur ami ? Est-il encore vivant ? Et si on était en train de le torturer, à l'instant même ?

Une fois la nuit tombée, Merit-Neith et Hapouséneb filent discrètement vers

le temple. Ils longent les murs en se tenant autant que possible dans les zones ombragées par les maisons. Bientôt, ils arrivent à l'enceinte extérieure du temple. La situation leur paraît étrange, car ils sont toujours venus en ces lieux le jour. Les bâtiments, plongés dans la quasi-noirceur, ont une allure lugubre.

À la hauteur du premier pylône, l'entrée de l'enceinte est gardée. Deux soldats se tiennent debout, armés de lances. Jamais ils ne laisseront passer les jeunes.

Merit-Neith et Hapouséneb avaient prévu cette embûche. Ils savaient qu'ils ne pourraient entrer facilement. La nuit, toute cette zone est surveillée, puisque le palais royal se trouve dans l'enceinte.

Les deux jeunes contournent donc la palissade de pierre en passant par la droite. Après avoir fait un bout de chemin, ils inspectent les environs : personne en vue. Hapouséneb prend la corde et y attache le crochet. Après quelques lancers, le crampon agrippe le haut du mur. Le garçon vérifie que l'ancrage est solide, puis il grimpe jusqu'au sommet de l'enceinte, suivi de

Merit-Neith. Bien que le mur ne soit pas très large, les enfants arrivent à s'y tenir en équilibre.

Merit-Neith et Hapouséneb, accroupis sur les remparts de pierre, scrutent les alentours. Tout est calme. Le temple se trouve au fond, plus loin. Il faudra se déplacer furtivement sur la muraille jusqu'aux magasins, situés à l'arrière. Ensuite, les jeunes pourront traverser les toits des magasins pour accéder au temple. Ils se mettent donc en route le plus silencieusement possible.

6

Mission dangereuse

Merit-Neith et Hapouséneb ont réussi à ramper sur la muraille jusqu'au temple sacré. Ils sont au-dessus de la salle hypostyle, près de la seconde cour. Merit-Neith jette un coup d'œil à travers les petites ouvertures pratiquées dans le toit de la vaste pièce. Malheureusement, la noirceur est telle qu'elle ne distingue presque rien.

Les deux jeunes poursuivent leur chemin sur la toiture du temple. Ils se sentent terriblement mal à l'aise. L'accès à ces lieux leur est habituellement interdit.

Et voilà qu'ils se promènent sur les bâtiments les plus sacrés de l'Égypte, comme des malfaiteurs! Du haut des cieux, le dieu lunaire Khonsou les observe. Malgré leur inconfort, les jeunes savent qu'ils n'ont pas le choix d'enfreindre les lois s'ils veulent sauver la vie de Snéfrou. Ils doivent continuer leur mission.

Sur le second hall, ils remarquent que le toit descend par degrés, un peu comme un grand escalier. Impossible de discerner ce qui se passe dans le hall. Les jeunes dévalent les marches géantes en allant vers le sanctuaire. Merit-Neith et Hapouséneb veulent trouver un moyen pour pénétrer dans le temple sans se faire remarquer. Un pari difficile...

Les jeunes cherchent depuis un moment quand ils découvrent une ouverture dans la toiture, complètement au fond du temple. Merit-Neith et Hapouséneb savent ce qu'est ce mince trou rectangulaire. Même s'ils ne sont jamais entrés à l'intérieur, leur maître Montouhotep leur a dit à quoi ressemblaient les bâtiments sacrés.

Cette fenêtre spéciale est celle du naos. Merit-Neith se penche au-dessus du trou.

— Je crois que nous pourrons entrer par ici, murmure-t-elle. Je n'aurais jamais espéré visiter le naos! C'est la partie la plus sacrée du temple!

— Parfait! répond Hapouséneb. C'est l'endroit le plus discret pour s'introduire à l'intérieur, ni vu ni connu.

Soudain, du bruit se fait entendre en dessous d'eux. Quelque chose bouge dans l'obscurité du naos! Merit-Neith et Hapouséneb sursautent et se retiennent pour ne pas échapper un cri de surprise. Mais la jeune fille reconnaît presque tout de suite cette voix étouffée qui gémit.

— Snéfrou? chuchote-t-elle.

Un geignement familier lui répond.

— Attends, on arrive tout de suite, murmure Hapouséneb.

Immédiatement, le garçon agrippe le crochet entre deux grosses pierres du toit et l'y ancre solidement. Merit-Neith descend dans l'ouverture juste assez large pour laisser passer un enfant. Hapouséneb la suit aussitôt.

Dès que les jeunes touchent le sol, ils voient leur ami, ligoté et bâillonné. Les scribes se précipitent pour détacher le prisonnier. Ils lui donnent une gourde

d'eau qu'ils avaient pris soin d'apporter avec eux.

— Que t'est-il donc arrivé? demande Merit-Neith.

Snéfrou reprend son souffle, car le bâillon l'étouffait. Même s'il est soulagé que ses amis soient là, il est en nage et son cœur bat la chamade. Jamais il n'a eu aussi peur pour sa vie!

Ses membres sont engourdis par les heures passées dans la petite salle, ficelé comme un saucisson. Snéfrou bouge les bras en tournant en rond dans le naos.

Ces mouvements soulagent ses muscles endoloris. Quand il finit par retrouver une respiration normale, il narre ses mésaventures à Merit-Neith et Hapouséneb. Il leur raconte que les prêtres organisent un complot contre le pharaon.

— T'ont-ils fait du mal ? demande Hapouséneb.

— Ils m'ont secoué un peu, mais ne m'ont pas blessé, répond Snéfrou en se frottant les poignets. Je crois qu'ils ne veulent pas laisser de preuves que j'ai été retenu contre mon gré. Je ne leur ai dit que le strict minimum et je ne leur ai pas parlé de vous.

— Pourquoi t'ont-ils laissé ici ? s'enquiert Merit-Neith.

— Si j'ai bien compris, ils veulent me laisser pâtir quelques heures, dans le but de m'effrayer et de voir si je parlerai davantage sous l'effet de la peur. Sinon, ils ont dit qu'ils utiliseraient une drogue de vérité.

— Jamais entendu parler de cette drogue…, affirme Hapouséneb.

— Moi non plus. J'ignore ce que c'est, soupire Snéfrou. Mais connaissant l'expérience de certains prêtres en médecine et en herboristerie, ce doit être efficace. Ils prétendent aussi pouvoir altérer ma mémoire avec une autre potion, au besoin.

Merit-Neith et Hapouséneb répriment une exclamation en frissonnant. La puissance et la science du clergé sont parfois époustouflantes et effrayantes. Même s'ils savaient que les prêtres d'Amon-Râ détiennent de grands pouvoirs, ils étaient loin de s'imaginer leur ampleur.

L'idée que des religieux aient assassiné l'un des leurs et complotent contre le pharaon n'est guère plus rassurante. Le clergé d'Amon-Râ a toujours représenté l'ordre et la justice. Il conseille souvent le roi. Comment certains de ses membres en sont-ils venus à conspirer contre la royauté? Les jeunes trouvent cette révélation déconcertante et terrifiante.

— Bon, déclare Snéfrou, ne perdons pas de temps. Il faut prévenir la police ou l'armée. Maintenant, nous connaissons le nom d'un conspirateur et nous savons où il se trouve. De plus, les traîtres ont dit vouloir passer à l'action avant la fin de la fête d'Opêt. Il ne faut pas perdre une seconde!

— Allez-y, moi je reste, répond Merit-Neith.

— Quoi? s'écrient ses amis d'une voix étouffée.

— Pour quelles raisons? C'est de la folie! renchérit Hapouséneb. Tu as vu ce qu'ils ont fait à Snéfrou?

— Il dit vrai, approuve ce dernier. À quoi te servirait de rester?

— J'ai élucidé en partie l'énigme du papyrus, mais je n'ai pas tout compris. Je soupçonne que la clé de ce poème soit cachée dans les effets personnels de Merikarê. Et ils doivent être conservés dans le temple.

— Pourquoi crois-tu cela? demande Hapouséneb.

— Réfléchissez. Après avoir lu la lettre anonyme d'Hapouséneb, les autorités doivent avoir retrouvé le corps de Merikarê. Logiquement, les prêtres-embaumeurs sont en train de le préparer pour la momification*. Ils ont sûrement mis ses affaires de côté pour les déposer dans sa tombe. Il faut que je mette la main dessus avant qu'ils ne terminent le rituel.

— Supposons que tu aies raison, médite Snéfrou, c'est bien trop risqué.

— Pas autant que ce que tu as fait, rétorque Merit-Neith. De plus, c'est le moment idéal : il fait nuit et presque tout le monde dort. Et même si je me fais attraper, les traîtres ne savent pas qui je suis. Je trouverai bien une excuse pour justifier ma présence ici.

Hapouséneb et Snéfrou hésitent. Ils n'aiment vraiment pas cela. Mais peut-être que leur amie a raison. La solution à cette affaire se trouve sans doute dans le temple.

Les garçons soupirent et acceptent la proposition de Merit-Neith. Ils se convainquent en se disant que les félons ignorent son identité et que le pharaon sera prévenu dans quelques instants. Cela fait, tout sera réglé en peu de temps.

7

Merit-Neith espionne

Snéfrou et Hapouséneb sont remontés sur le toit à l'aide de la corde. Ils ont décidé de marcher discrètement sur les remparts jusqu'à la seconde cour, puis de regagner le sol à cet endroit. Le palais royal sera tout près. C'est le meilleur itinéraire pour s'y rendre le plus vite possible.

Pendant ce temps, Merit-Neith ouvre furtivement la porte du naos. Elle jette un œil dans le couloir. Personne en vue. Le temple semble plongé dans un profond sommeil. La jeune fille observe le

hall du sanctuaire. Des lampes à encens*
éclairent faiblement. Des statues et des
barques de pierre immobiles regardent
Merit-Neith.

Elle longe les murs. Après un moment à chercher dans le temple, elle
déniche l'endroit où les embaumeurs
travaillent. Au milieu de la pièce trône
un grand bac rempli de sable. Une sil-
houette humaine recouverte d'un drap
de lin blanc taché de sang est couchée
sur le sable. Une odeur salée parfume la
chambre faiblement éclairée.

Par terre, Merit-Neith reconnaît les
quatre vases canopes* à l'effigie des dieux
et déesses protecteurs et dans lesquels
on préserve les organes du mort.

Une table couverte d'une nappe de
lin est placée contre un mur. Divers instruments et substances y sont rangés :
crochets de fer, tiges de bronze, herminette* en bois, jarre à huile, entonnoir,
couteau, fiole, fil, myrrhe* broyée, cannelle
et autres aromates. L'ambiance est
lugubre. Merit-Neith déglutit avec peine.
Elle a l'impression de profaner le sanctuaire des défunts.

Plus loin, la jeune scribe aperçoit une
grande armoire remplie d'objets et de

sacs en tissu. Elle s'em-
presse de la fouiller.
L'un des sacs porte
le nom de Merikarê.
Triomphante, la jeune
fille s'en empare. À
l'intérieur, il y a un petit
miroir, un rasoir, un
pinceau, une tablette,
des godets de pein-
ture, des bracelets
d'argent et un cof-
fret contenant un
large pectoral* d'or serti
de pierres précieuses.

Merit-Neith examine
le bijou. Quelque chose attire son attention. Un grand symbole doré orne le
centre de la parure. C'est un cobra au
cou gonflé s'enroulant autour d'un
disque solaire.

Mais oui! Merit-Neith comprend
soudain le sens du mystérieux poème.
Le croissant sur la poitrine et insigne de
la dignité, cela désigne un pectoral! Tout
concorde: façonné dans l'or et portant
le symbole de l'uræus, représentant
le dieu Amon-Râ. Le texte désignait
donc ce bijou! Mais pourquoi ce joyau

détiendrait-il la vérité ? Cela aurait-il un rapport avec la clé que leur avait confiée Merikarê ?

Avant même que Merit-Neith n'ait le temps de se poser d'autres questions, elle perçoit des voix tout près. Elle remet hâtivement le sac à sa place et cache le bijou dans sa robe. Mais au moment où elle se dirige vers la seule issue, située sur le côté de la pièce, la porte s'ouvre. Pas le temps de sortir, et aucune autre retraite possible ! Merit-Neith se jette sous la table, rabat la nappe aussi bas que possible et se recroqueville en boule dans un coin obscur. Pourvu qu'on ne la voie pas !

Trois prêtres entrent dans le sanc-tuaire. L'un d'eux porte un masque de chacal. Ce sont des prêtres sems*. La jeune fille remarque une autre cuve dans la pièce voisine, où se trouvaient les hommes. Ainsi, il y a plusieurs salles d'embaumement ! Les prêtres étaient sans doute occupés avec un autre corps.

Merit-Neith observe les embaumeurs depuis sa cachette. Le plus jeune paraît plutôt émotif. L'autre a une allure posée et calme. Quant à celui qui porte le masque, impossible de deviner son état

d'esprit. Les hommes s'approchent du corps et enlèvent le drap le couvrant.

Le jeune prêtre, bouleversé, détourne le visage un instant en poussant un gémissement. Le spectacle est terrible, pour lui. Après tout, c'est un collègue, qui vient de mourir. Le plus vieux prêtre, bien que triste, ne s'émeut pas pour autant.

— C'est affreux, je ne comprends pas ! s'indigne le jeune en s'emparant des instruments de la table sous laquelle est cachée Merit-Neith. Comment peut-on s'en prendre à quelqu'un comme Merikarê, et en pleine fête d'Opêt en plus ? C'était tout de même l'assistant de Râmès, le grand prêtre !

— Va savoir, Smendès, répond le plus vieux. La police fait sa besogne, faisons la nôtre. Et rappelons-nous que Merikarê est parti pour un monde meilleur, dans le Douat*, parmi les dieux.

Le jeune Smendès soupire en se dirigeant vers le corps, des crochets et des tiges de bronze à la main.

Merit-Neith fixe la sortie depuis son refuge. Même s'il fait plutôt sombre dans la pièce, pas moyen de sortir sans être repérée. Elle va devoir attendre que les prêtres aient terminé leur ouvrage et quitté les lieux. Elle ignorait que les embaumeurs pouvaient être à l'œuvre une fois la nuit tombée et ne pensait pas rencontrer une telle embûche.

Les hommes commencent à travailler. Ils insèrent les crochets et les tiges dans les narines du mort et en retirent des morceaux de cerveau. Merit-Neith détourne le regard, écœurée. Les prêtres prennent ensuite une fiole et, à l'aide d'un entonnoir, ils versent un liquide dans le nez du cadavre. Pendant tout ce temps, le prêtre au masque de chacal, à l'effigie d'Anubis*, psalmodie des prières qu'il lit sur un papyrus.

Après un moment, les embaumeurs retournent le corps sur le ventre. Ce qui restait du cerveau est liquéfié et coule dans le sable par les narines. Merit-Neith a le cœur au bord des lèvres. Elle commence à comprendre d'où provenait cette curieuse odeur : le sang ! Elle se demande comment on peut exercer un tel métier. Elle a terriblement hâte de sortir de là. Mais, d'un autre côté, sa curiosité la pousse à regarder la scène du coin de l'œil.

Les prêtres pratiquent une incision le long du flanc de Merikarê et retirent ses organes internes avec l'herminette de bois. Le sang qui n'est pas absorbé par le sable coule par le bec verseur jusque dans une jarre installée dessous. Les hommes lavent les viscères avec du vin de palme et des épices, puis les placent dans les vases canopes. La cavité dans le corps est ensuite nettoyée et remplie de myrrhe, de cannelle, d'autres aromates et de natron*. Les embaumeurs recousent l'ouverture et entassent des sacs remplis de natron autour du corps. Ils en versent également sur le cadavre. Cela permet d'assécher les tissus du mort. Cette étape terminée, le corps devra rester dans le natron de trente-cinq à soixante-dix jours.

Leur travail achevé, les prêtres quittent les lieux. Ils semblent vannés. Merit-Neith estime qu'elle est restée cachée plusieurs heures. Elle est complètement courbaturée et épuisée. Elle se lève lentement et sort de la salle d'embaumement avec soulagement. Par chance, le soleil n'est pas encore levé et la plupart des gens doivent dormir à poings fermés. Cependant, Râ ne saurait tarder à se montrer.

La jeune fille longe les murs du temple dans l'obscurité, en direction de la sortie. Elle traverse le hall, puis se retrouve dans la salle hypostyle. Au moment où elle traverse la vaste salle, une voix l'interpelle :

— Hé ! Toi ! Que fais-tu là ?

La voix est dure, sévère. Merit-Neith se retourne. Un prêtre lourdaud fonce vers elle à toute allure. Il a l'air furieux. La jeune fille sait qu'elle ne peut aller bien loin. Elle doit réfléchir rapidement. Une fois à sa hauteur, le prêtre l'agrippe par le bras.

— Que fais-tu ici, petite peste ? hurle-t-il.

— Je... j'étais curieuse. Je voulais voir le temple, répond-elle, penaude.

— Tu voulais..., murmure l'individu, blême de colère. Sais-tu que seuls les prêtres et le pharaon ont le droit de pénétrer en ces lieux saints ? D'abord, comment es-tu entrée ?

— Je..., débute Merit-Neith.

Sans même attendre sa réponse, le prêtre la secoue comme un fétu de paille.

— Tu as de la chance que le grand prêtre soit à Louxor, car il t'aurait administré une de ces corrections ! crie-t-il. Petite effrontée ! N'as-tu donc aucun respect ?

Sur ce, l'homme la tire sans ménagement vers la sortie. Il marche si vite que la jeune fille a du mal à le suivre. Finalement, il l'emmène à la sortie de la cour intérieure et la pousse brusquement.

— Et ne t'avise plus de revenir ! tonne le prêtre, hors de lui, avant de tourner les talons.

Merit-Neith frotte son bras endolori. Mais elle a réussi : la voilà dehors et personne ne se doute qu'elle a pris le pectoral de Merikarê.

8

Les ennuis
s'accumulent

Snéfrou et Hapouséneb descendent
du mur à l'aide de la corde. Ils espèrent
que Merit-Neith n'aura pas de problèmes
pendant sa mission. Les garçons prennent la direction du palais royal, situé
tout près de là. Snéfrou est exténué. Il
n'a que très peu dormi et rien mangé
depuis des heures. Encore une chance
que ses amis lui aient apporté à boire !
Mais l'anxiété et l'adrénaline lui donnent une énergie inespérée. Il faut à tout
prix qu'Hapouséneb et lui réussissent

à mettre Toutânkhamon au courant du complot qui se trame contre lui.

Snéfrou songe à ses parents. Ils doivent être morts d'inquiétude à l'heure qu'il est. Et dire qu'il leur avait promis de ne plus les effrayer ainsi! Son père a probablement déjà averti le roi de sa disparition. La police le cherche peut-être partout en ce moment même.

Hapouséneb commence à être faible, lui aussi. Il devrait être au lit depuis des heures et il a rampé sur les remparts du temple, ce qui représente un long périple. Ses muscles lui font mal. De plus, ses mains et ses genoux ont été écorchés par ce voyage à quatre pattes sur la pierre.

Les garçons arrivent épuisés à l'entrée du palais royal. Deux sentinelles gardent la porte.

— Nous devons parler au pharaon ou à l'un de ses représentants. Nous avons une nouvelle urgente à lui annoncer! déclare Hapouséneb en arrivant à leur hauteur.

— Ça ne va pas, non? répond l'un des gardes. D'abord, le pharaon est encore à Louxor. Et puis, nous n'irions pas le réveiller pour des sornettes de gamins en pleine nuit ! Vous vous moquez de nous, ou quoi ?

Zut ! Les garçons étaient si énervés qu'ils en avaient oublié la fête d'Opêt !

— Laissez-nous parler à quelqu'un d'autre alors, propose Snéfrou. Le général Horemheb, peut-être ?

— On ne dérange pas le général à cette heure de la nuit pour des riens ! tranche l'autre soldat.

— Mais il y a un complot qui se prépare contre le pharaon ! s'écrie Hapouséneb, à bout de nerfs.

— Vous vous croyez malins, hein ? ajoute l'autre garde. Je parie que vous voulez faire une mauvaise blague ! Allez-vous-en, petits chenapans ! Sinon, je vous sers une raclée dont vous allez vous souvenir longtemps !

— Je suis le fils d'Amasis, un des conseillers de Toutânkhamon. Laissez-nous entrer, supplie Snéfrou.

— Mais oui, c'est ça, et moi, je suis le fils d'Horus* ! se moque une des sentinelles.

— Déguerpissez ! gronde l'autre en menaçant les garçons de sa lance.

Les apprentis scribes n'insistent pas. De toute évidence, les gardes ne les prennent pas au sérieux. Ils doivent prévenir des adultes qui, eux, réussiront à les convaincre du danger.

— Allons chez moi, dit Hapouséneb. C'est près d'ici et mon père est architecte royal. Il va certainement persuader ces idiots de nous écouter.

Les garçons sortent des fortifications. Ils traversent le pylône principal et pressent le pas vers la maison d'Hapouséneb. À peine ont-ils franchi quelques mètres que des silhouettes jaillissent des remparts, d'une ouverture située sur le côté de l'enceinte. Snéfrou sursaute, horrifié. Dans le groupe d'assaillants, il reconnaît Hounifer et le novice qui l'a emprisonné dans le naos !

— Sauve qui peut ! Ce sont les malfaiteurs ! crie-t-il à son ami.

— C'est lui ! rugit Hounifer en désignant Snéfrou à ses sbires.

Les gamins prennent leurs jambes à leur cou. Snéfrou réussit à dénombrer leurs ennemis : ils sont cinq. Les garçons n'ont aucune chance de les combattre s'ils sont capturés.

Les jeunes courent aussi vite qu'ils le peuvent à travers les rues de Thèbes. Mais ils sont éreintés. Ils entendent leurs poursuivants les talonner. Ces derniers, plus grands et certainement moins épuisés, les auront rattrapés en un rien de temps. Mais la maison d'Hapouséneb n'est plus très loin. Les jeunes redoublent d'efforts et traversent un vaste jardin rempli de figuiers et de vignes, avec un bassin d'eau orné de lotus. Ils approchent de la demeure : peut-être réussiront-ils à s'y réfugier.

Derrière eux, les prêtres ont gagné du terrain. Les garçons sentent presque leur souffle court sur leur nuque.

Soudain, l'un des hommes attrape Hapouséneb par les cheveux, lui arrachant un hurlement de douleur. Le prêtre lui applique aussitôt la main sur la bouche pour le faire taire, mais le garçon le mord. Un autre homme tente de le maîtriser. Hapouséneb se débat de toutes ses forces en criant. Il assène un coup de pied à l'un de ses adversaires et en griffe un autre avec ses ongles. Deux autres individus s'emparent enfin du jeune scribe. Hapouséneb a beau être vaillant, il ne peut vaincre ses opposants.

Déjà plus loin, Snéfrou s'arrête brusquement, déchiré entre deux choix : doit-il secourir son ami ou s'enfuir ?

— Sauve-toi ! crie Hapouséneb. Va chercher de l'aide !

L'un des prêtres plaque un tampon de lin humide sur la figure horrifiée d'Hapouséneb. Ce dernier tombe inconscient. Snéfrou se retourne et galope vers la maison de son ami, tout près de là. Mais l'un des ennemis a fait le tour du jardin et lui bloque l'accès au domicile. Pas moyen de s'y rendre et il est impensable de rebrousser chemin pour affronter les autres !

Le scribe bifurque pour emprunter une autre route à travers le verger. Il se dirige vers le fleuve. Vite ! Il se dépêche de gagner un endroit où l'on ne le trouvera pas. Snéfrou se jette dans les papyrus et les roseaux, puis entre dans une cavité camouflée dans la végétation. Son poursuivant hésite, puis se fraie un chemin entre les plantes recouvrant le bord du Nil.

Accroupi dans sa cachette, Snéfrou se tient coi. Bientôt, le prêtre abandonne et rebrousse chemin. Snéfrou soupire de soulagement. Il jette discrètement un

coup d'œil sur les environs. Si l'individu s'est éloigné, il doit certainement surveiller les parages, espérant que le garçon finisse par se montrer. Mais, par chance, le jeune scribe a une idée.

Sa cache est en fait un vieux nilomètre*. Le puits, qui se prolonge par un couloir, se rend jusqu'au marché de Thèbes. En empruntant cette voie souterraine, Snéfrou sait qu'il peut atteindre le marché pour ensuite se rendre chez lui. Snéfrou et ses amis avaient découvert cet endroit, non loin de la demeure d'Hapouséneb, quelques années plus tôt. Ils s'y étaient souvent cachés pour s'amuser. Le jeune scribe n'aurait jamais cru que ce nilomètre abandonné lui sauverait la vie.

L'eau du fleuve, encore chargée de limon*, arrive à la hauteur de la taille de Snéfrou. Le garçon commence à être vraiment épuisé et affamé. Il a hâte d'être en sécurité, chez lui. Il songe au pauvre Hapouséneb, prisonnier des prêtres. Que va-t-il lui arriver? Vont-ils le torturer, le tuer? Et Merit-Neith a-t-elle réussi sa mission?

Arrivé sous le marché, Snéfrou grimpe l'escalier du nilomètre menant à la surface. Personne aux alentours. L'aube approche. Bientôt, Nout redonnera vie au dieu-soleil Râ. Snéfrou longe les maisons en silence pour éviter d'être repéré. Rendu devant chez lui, il observe tout autour pour être certain que ses ennemis ne l'y attendent pas. Personne en vue. Une lampe est encore allumée à une fenêtre. Ses parents sont sans doute éveillés, en train de se ronger les sangs.

À cette heure-ci, la porte est sûrement verrouillée. Le garçon rassemble ses dernières forces, se précipite dessus et frappe à coups de poing sur le battant. Celle-ci s'ouvre prestement sur une Nebtou encore agitée. Elle se jette sur son jeune maître et le prend dans ses bras en pleurant.

— Vous voilà enfin de retour ! s'écrie la servante. Ouserkaf est parti à votre recherche depuis des heures ! Où étiez-vous ? Nous étions morts d'inquiétude !

Snéfrou est trop faible pour répondre, il s'effondre sur le plancher, à bout de forces. Il entend vaguement les voix de ses parents. On lui donne de l'eau à boire, qu'il avale goulûment. On lui offre ensuite une poignée de dattes, qu'il s'empresse d'avaler. Une fois rassasié, il réussit à parler :

— Il y a un complot contre le pha-raon, articule-t-il. Hapouséneb est prisonnier des conspirateurs... Ce sont des prêtres du temple d'Amon-Râ...

9

Thèbes
en flammes

La déesse Nout a finalement redonné vie au dieu-soleil Râ, qui projette ses rayons sur la ville de Thèbes. Les oiseaux matinaux chantent sur le bord du Nil pendant que les crocodiles nagent paresseusement dans ses eaux.

C'est la dernière journée de la fête d'Opêt. À l'aide de longs cordages, les haleurs* tirent sur le Nil les barques d'Amon, de Mout* et de Khonsou vers Karnak*. Sous les encouragements de la foule en délire, au son des sistres*, des tambourins et des chants, les bateaux glissent devant Thèbes.

Bientôt, l'embarcation du pharaon arrive à son tour. Toutânkhamon en descend, accompagné de son vizir, le vieux Aÿ, et de Râmès, le grand prêtre. Quelques autres prêtres d'Amon-Râ, tout de blanc vêtus, se tiennent à ses côtés. Près de lui, les gardes de l'armée restent vigilants, maintenant constamment un œil sur les gens qui s'approcheraient trop du roi.

Le pharaon marche sur le quai, sous les acclamations et dans les nuages d'encens qu'on brûle un peu partout. Des danseuses et des danseurs, vêtus de fourreaux de lin et de pagnes* décorés de fil d'or et de broderies de perles, accueillent leur souverain.

Toutânkhamon observe la foule, le sourire aux lèvres. Le jeune roi salue le peuple en liesse, maintenant que son pouvoir divin a été confirmé par le rituel exercé auprès du dieu Amon. Ceux qui le connaissent savent cependant que, malgré sa joie, il est fatigué et tendu. Les derniers jours ont été exigeants, pour lui.

Soudain, des sons aigus percent les exclamations ; des voix affolées s'élèvent au-dessus de la clameur. Quelque chose ne va pas. Plusieurs se retournent, car le brouhaha vient de l'arrière, dans les rues.

Brusquement, la cause de la rumeur apparaît : des flammes jaillissent derrière la foule, qui commence à paniquer. Le feu lèche les murs des bâtiments et se répand à une vitesse phénoménale. Avec une rapidité anormale, à vrai dire...

Bientôt, l'incendie envahit le peuple entassé sur le bord du Nil. C'est la cohue. En quelques instants, l'allégresse a fait place au désarroi. Les gens hurlent de frayeur. Certains courent dans tous les sens, d'autres sont écrasés, piétinés. C'est la confusion et le tumulte. Plus personne ne prête attention au cortège des barques sacrées sur le Nil, ni au pharaon.

Les dignitaires qui sont sur le quai n'échappent pas au désordre. Ils se trouvent perdus au milieu de la mêlée. Les soldats sont incapables de rediriger les gens. Ni vu ni connu, un des prêtres d'Amon-Râ ne semble cependant pas en proie à la panique.

Le prêtre délaisse ses collègues et les gardes, complètement dépassés par les événements, pour se frayer un chemin au milieu du tumulte. Il n'était déjà pas loin du pharaon. Il n'a que quelques pas à franchir et qu'un geste à faire. Personne ne saura jamais qui a attaqué le roi dans cette cohue. Le prêtre sort de sa robe une petite dague enduite de poison.

Il arrive à l'endroit où se tenait Toutânkhamon quelques secondes plus tôt, mais une surprise l'attend. Le pharaon a disparu ! L'assassin tourne en rond, affolé. Il cherche le jeune roi des yeux. Sans qu'il puisse réagir, une puissante main saisit sa dague et la lui arrache. Le prêtre s'aperçoit, paniqué, que deux soldats l'encadrent. Il est démasqué ! L'un d'eux range l'arme empoisonnée dans sa gaine. Il veut éviter que le prêtre se jette sur la dague pour mettre fin à ses jours et emporter l'identité des autres conspirateurs dans sa tombe.

— Voilà tout ce dont nous avions besoin, dit le garde, un sourire en coin.

Le prêtre, abasourdi, rage de s'être fait coincer : de toute évidence, l'armée était au courant du complot. Le pharaon a déjà été mis à l'abri.

Le dieu-soleil Râ a commencé sa course dans le ciel, indifférent au drame qui s'est déroulé sur la terre d'Égypte.

Assis sur une chaise avec Amasis dans le bureau du général, Snéfrou attend des nouvelles avec impatience. La pièce ressemble à une oasis de paix après cette nuit mouvementée. Tout y est calme et silencieux. On est loin de l'émeute causée par l'incendie.

Amasis a réussi à prévenir à temps le général Horemheb de l'assassinat planifié. Le militaire a immédiatement élaboré un plan pour appâter les prêtres félons. Il consistait à laisser la fête d'Opêt suivre son cours. Des gardes en civil se sont fondus dans la foule pour mieux surveiller ce qui se passerait. Dès le début de l'émeute, le pharaon a été emmené en sûreté sur son bateau et éloigné de la terre ferme. Par chance, l'incendie a aussi été maîtrisé fort rapidement. On ne déplore que quelques blessés, en fin de compte.

Horemheb, excellent tacticien, avait aussi décidé de dépêcher en secret une équipe de soldats d'élite pour récupérer Hapouséneb, qu'il croyait encore retenu au temple.

Snéfrou et son père n'ont toujours pas de nouvelles et font les cent pas dans le bureau du général. A-t-on secouru le jeune scribe ? Et qu'advient-il de Merit-Neith ?

Quelle nuit horrible ! Snéfrou espère ne plus jamais en vivre de semblable ! Il a très peu dormi, a été ligoté, interrogé, menacé, et a couru comme il ne l'a jamais fait dans sa vie.

Un groupe d'hommes armés jusqu'aux dents pénètre enfin dans le bureau. Leur chef se dirige vers Horemheb et le salue.

— Quelles sont les nouvelles ? demande le général.

— Elles sont bonnes, répond le soldat. Nous avons pénétré en douce dans le temple et avons retrouvé le garçon...

— Vous avez trouvé Hapouséneb ! l'interrompt Snéfrou. Comment va-t-il ?

Le garde examine le scribe, étonné et un peu choqué d'avoir eu la parole coupée pendant son rapport.

— Il va bien. Nous avons également arrêté les prêtres qui le maintenaient prisonnier.

— Excellent, dit Horemheb. Enfermez ces criminels en prison. Nous les interrogerons plus tard afin de découvrir l'identité des autres conspirateurs.

Avant de partir, les soldats amènent Hapouséneb dans le bureau. Les deux amis s'étreignent, heureux et soulagés de se voir en vie. Au même moment, un domestique pénètre dans la pièce.

— Général Horemheb, l'interpelle le serviteur, le pharaon attend dans la salle du trône. Il désire voir le garçon et son père.

10

La clé du joyau
d'Amon-Râ

Snéfrou, Amasis et Hapouséneb traversent la salle du trône. L'endroit est
impressionnant. C'est une pièce im-
mense, décorée de tentures colorées et
de colonnes majestueuses. Une estrade
est installée devant une large fenêtre ;
au sommet se dresse le trône du pharaon, une chaise en bois plaquée de
feuilles d'or, aux appuis-bras ornés de
serpents ailés et aux pieds en forme de
pattes de lion.

Toutânkhamon est debout, dos à l'entrée et faisant face à la fenêtre. Il contemple l'horizon et tient un pectoral dans ses mains.

Sur les marches de l'estrade est assis Râmès, le grand prêtre du temple d'Amon-Râ. Il semble complètement défait. *Pourtant,* se dit Snéfrou, *tout est bien qui finit bien, non ?*

Plus loin, le vieux vizir Aÿ se recueille debout, les yeux fermés, le poing appuyé contre le menton.

Le pharaon se retourne et sourit aux arrivants, qui ont la surprise de voir une quatrième personne à ses côtés : Merit-Neith. Les garçons sont fous de joie de retrouver leur amie. Les compagnons se serrent les uns les autres. Ils sont enfin réunis, sains et saufs !

— Comment es-tu arrivée ici ? s'enquièrent les garçons.

— J'ai réussi à élucider le mystérieux poème, explique Merit-Neith. Il faisait référence à un bijou, le joyau d'Amon-Râ, que j'ai dérobé au temple. Quand je me suis enfuie, je me suis dirigée vers la maison d'Hapouséneb. Mais en arrivant là-bas, j'ai vu un prêtre qui faisait le guet devant l'entrée. J'ai donc rebroussé chemin et je me suis rendue chez toi, Snéfrou. Je suis arrivée près d'une heure après ton départ au palais avec ton père. Et ta mère n'a pas voulu me laisser partir tant que votre serviteur Ouserkaf ne fût pas revenu à la maison. Elle tenait à ce qu'il m'accompagne jusqu'ici et me protège.

— Les enfants, je crois que le pharaon a quelque chose à nous dire, déclare Amasis sur un ton de reproche.

Les jeunes se retournent vers le roi, confus. Ils sont si heureux de s'être retrouvés après cette nuit terrible, qu'ils en ont oublié toutes les règles de l'étiquette. Ils s'agenouillent devant le pharaon avec humilité.

Toutânkhamon s'assoit sur son trône. Il est visiblement las et observe le pectoral dans ses mains, la tristesse dans le regard.

— Je suppose que vous aimeriez comprendre ce qui s'est passé, n'est-ce pas ? dit-il aux jeunes. Vous vous demandez sans doute sur quelle histoire vous êtes encore tombés.

Les enfants hochent la tête en signe d'approbation. Ils ne comprennent toujours pas pourquoi des prêtres du temple ont tenté de s'en prendre à la vie du roi, ni ce que venait faire Merikarê dans cette mésaventure. Toutânkhamon soupire sans quitter le pectoral des yeux. Soudain, il sort une clé cachée dans sa ceinture. Snéfrou sursaute. C'est celle que Merikarê lui avait donnée avant de mourir ! Merit-Neith l'a sûrement prise lorsqu'elle s'est rendue chez lui. C'est bête, il l'avait complètement oubliée !

Le souverain montre le pectoral aux jeunes : c'est le fameux joyau d'Amon-Râ. Le magnifique collier est fait de lapis-lazuli, de turquoises, de cornalines, d'améthystes, de perles de faïence et d'or. Un symbole d'uræus en or avec le cobra et le disque solaire brille de mille feux. Le pharaon retourne le bijou et enfonce la clé dans une minuscule ouverture située à l'arrière de l'uræus, qui s'ouvre comme un petit boîtier. À l'intérieur se trouve un morceau de papyrus. Le jeune roi le prend et le lit à voix haute :

— Hounifer, Didoufri, Kemheset, Menkaouhor, Ptah-hotep, Imenemipet, Aménémopé, Néferkaouhor, Inherkhâou, Djehoutynéfer, Ourkaoukhéty, Kapo-vibi…, lit-il. Tous des prêtres du temple d'Amon-Râ…

— Les noms des conspirateurs. Une douzaine de membres du clergé, murmure sombrement Râmès, ébranlé. Il les avait donc démasqués.

Les trois enfants et Amasis se regardent, sans saisir. Toutânkhamon remarque leur incompréhension.

— Il y a un certain temps, nous avions eu vent, grâce à nos services secrets, d'un complot contre moi, commence le pharaon. Nous soupçonnions fortement des membres du clergé du temple d'Amon-Râ d'en être les instigateurs.

— Excusez-moi, mais... pourquoi des gens du temple en voudraient-ils à votre vie ? ose demander Hapouséneb.

— Avez-vous déjà entendu parler d'Akhenaton ? demande le roi. Ce pharaon a gouverné juste avant moi, il y a plusieurs années. Au cours de son règne, il est entré en guerre avec les prêtres d'Amon-Râ et a interdit la religion traditionnelle pour en instaurer une nouvelle, vénérant un seul dieu : Aton. Mais pendant qu'il se battait avec le clergé et qu'il passait du temps à tenter d'imposer sa nouvelle religion, l'Égypte a perdu beaucoup de terres aux mains de ses ennemis, au nord et au sud.

Les jeunes acquiescent. Bien qu'ils n'aient été que de très jeunes enfants lorsque cette histoire est arrivée, ils ont entendu parler d'Akhenaton, dit « le pharaon maudit ».

— Quand Akhenaton est mort, il y a neuf ans, poursuit Toutânkhamon, c'est moi qui suis monté sur le trône. J'ai rétabli la religion d'origine et redonné au clergé son pouvoir d'antan. Mais certains gardent encore rancune contre moi, car je suis le gendre d'Akhenaton. De plus, certains estiment que nous aurions dû tenter de reprendre les territoires qui nous avaient été enlevés. Un mouvement de protestation a vu le jour récemment. Ses membres ont décrété que j'étais trop pacifique et qu'un militaire comme le général Horemheb serait un meilleur souverain que moi. Ils ont donc décidé de m'assassiner afin de permettre au général de monter sur le trône. Puisque je n'ai pas d'héritier, cela aurait été le choix le plus logique.

— Le général Horemheb est-il lié à ce mouvement ? demande Snéfrou, horrifié à cette idée.

— Bien sûr que non, le rassure Toutânkhamon. Il a toujours été très loyal et je lui fais entièrement confiance.

— Tout cela ne nous dit pas pourquoi Merikarê a été assassiné, soulève Merit-Neith.

— Râmès se doutait que certains prêtres adhéraient à ce mouvement, et qu'ils allaient agir bientôt, explique le roi. Il a donc demandé à son plus fidèle assistant, Merikarê, d'espionner le clergé et d'identifier les membres du mouvement. Il a réussi sa mission, mais hélas! les conspirateurs ont compris ce qu'il faisait et l'ont supprimé. Cependant, grâce à vous, le bijou a été retrouvé et nous connaissons les criminels.

Les jeunes frissonnent. Ce complot les déconcerte. Comment des gens dont le devoir est de servir le roi peuvent-ils en arriver à se retourner contre lui et à tenter de le tuer? Cette corruption va à l'encontre de tout ce qu'ils connaissent. Le clergé est pour eux symbole d'ordre, de loi, de justice et surtout de droiture. Et voilà que certains de ses membres sont des traîtres et des meurtriers!

— Par chance, avant de mourir, Merikarê avait pris en note les noms des coupables et avait caché cette liste dans son pectoral, comme nous le lui avions ordonné, poursuit Râmès. Le bijou portait le nom de code «joyau d'Amon-Râ». C'est ma faute si Merikarê est mort, c'est moi qui lui avais confié cette mission…

— Ne te sens pas coupable, Râmès, lui dit le pharaon. Les fautifs seront sévèrement punis, crois-moi.

Toutânkhamon s'adresse aux jeunes scribes :

— Vous nous avez encore sauvés d'un désastre, déclare-t-il, souriant. Vous êtes de vrais héros. Pour vous remercier, j'offre un banquet en votre honneur.

Épilogue

Deux jours plus tard, tous les dignitaires de la cour du pharaon sont attablés autour d'un grand festin. Comme le veut la coutume, Toutânkhamon, Aÿ et Râmès se sont laissés pousser la barbe et les cheveux en signe de deuil*. Ils pleurent encore la mort de Merikarê.

À la même table sont aussi rassemblés Snéfrou, Hapouséneb, Merit-Neith, ainsi que leurs familles. L'atmosphère est à la joie, mais une certaine tristesse plane sur le banquet. Les gens sont ébranlés par cette histoire de complot, de trahison et de meurtre. Mais tous sont également soulagés que tout ait bien fini.

Les jeunes ne sont pas encore tout à fait remis de leur incroyable mésaventure. Ils se sentent quelque peu perturbés et inquiets. Qu'arrivera-t-il, dans l'avenir, si même des prêtres du temple d'Amon-Râ sont susceptibles de se retourner contre leur souverain ? Peuvent-ils espérer une belle vie, après un tel événement ?

Dans la salle de banquet, un mouton et un bœuf rôtissent à la broche au-dessus d'un feu attisé avec un éventail. Les domestiques servent des plats tous plus appétissants les uns que les autres : caille rôtie, pigeon en ragoût, côtelettes et jarrets de bœuf, chèvre, autruche, bouillie d'orge, gâteaux au miel, compote de figues, raisin, pastèque, boutargue*, vin, bière...

Des chanteurs et des danseurs charment l'assistance au son de la harpe, du luth, du tambourin et de la flûte. Tout le monde se régale et festoie. Soudain, Toutânkhamon se lève, et tous se taisent.

— Mes amis, je sais que ces derniers jours ont été éprouvants pour vous. L'attaque perpétrée contre moi par des membres du clergé de notre très cher et saint temple d'Amon-Râ a été dure pour notre moral à tous. Je sais que plusieurs d'entre vous sont troublés par cette trahison de notre élite religieuse. Mais célébrons plutôt le dévouement de notre cher Merikarê. Et n'oublions pas la ténacité extraordinaire de nos trois jeunes amis ici présents. Snéfrou, Merit-Neith et Hapouséneb ont fait en sorte que le travail de Merikarê ne soit pas vain, et que nous soyons saufs. Ces jeunes se sont surpassés à plusieurs reprises, et je commence à manquer d'idées pour les récompenser...

Un rire parcourt la salle.

— Je peux vous assurer que nous allons tout faire pour rétablir la paix et l'ordre, car il est vrai que nous ne sommes pas encore parfaitement remis de la folie religieuse qui a frappé notre nation il y a quelques années. Gardons espoir. Avec de jeunes gens courageux comme ces trois scribes, je sens que l'Égypte est entre bonnes mains pour l'avenir. À votre santé !

Tout le monde lève son verre pour féliciter Hapouséneb, Snéfrou, et Merit-Neith. Les trois amis se sentent heureux. Après les journées affreuses qu'ils viennent de vivre, le discours de Toutânkhamon leur redonne de l'espoir. Ils sont confiants que leur pays retrouvera sa stabilité. Finalement, tout va pour le mieux, sur la terre d'Égypte...

Pour en savoir plus...

La fête d'Opêt

Autrefois, les Égyptiens croyaient que les statues des dieux qui se trouvaient dans le naos des temples étaient habitées par l'âme des divinités et devenaient elles-mêmes les dieux. En temps normal, ces statues ne sortaient jamais du naos. Seuls les prêtres qui prenaient soin des idoles et accomplissaient les rituels tous les jours pouvaient les voir. La fête d'Opêt était l'une des rares occasions où le peuple avait la chance d'apercevoir les statues des dieux de la triade thébaine. C'était donc pour lui une occasion très spéciale.

Pendant la saison « akhet », qui est celle de l'inondation, les eaux du Nil se paraient de la couleur verdâtre du limon, et le fleuve sortait de son lit. Tout danger de sécheresse était alors écarté et le peuple fêtait. Les gens se rendaient visite et s'offraient des cadeaux.

Dans le temple situé à Karnak, les prêtres se préparaient. Ils allumaient des cierges et chantaient des hymnes. À l'aube, ils allaient puiser de l'eau dans le fleuve, en remplissaient un vase orné d'or et d'argent, le bénissaient et distribuaient l'eau au peuple. Dans le temple, les statues des dieux Amon, Mout et Khonsou étaient préparées, ointes et vêtues de leurs plus beaux habits par les prêtres. On les transportait ensuite sur des barques somptueusement décorées. Avant le départ, le pharaon allait présenter des offrandes aux dieux.

Les barques étaient transportées jusqu'au fleuve sous les acclamations de la foule. Les bateaux, tirés par des hommes, se dirigeaient vers le sud, jusqu'à Louxor. Sur la rive, les gens encourageaient les haleurs, au son de la musique des sistres et des tambourins, ainsi que des chants. Les gens faisaient des offrandes, dansaient, mangeaient, buvaient, jouaient. C'était l'allégresse.

Une fois à Louxor, les statues des dieux séjournaient dans le temple une vingtaine de jours. Le pharaon y était aussi. Des offrandes et des rituels étaient à nouveau effectués par le roi auprès des statues. Symboliquement, le dieu Amon confirmait le pouvoir divin du pharaon. Ensuite, les statues retournaient à Karnak sous les acclamations du peuple en liesse. Cette cérémonie prouvait chaque fois la puissance et la légitimité du roi.

Akhenaton, Toutânkhamon et les autres

Le pharaon Amenhotep IV avait quinze ans lorsqu'il monta sur le trône. À ce moment, le clergé du dieu Amon-Râ était à l'apogée de son pouvoir. Le temple était très riche et certains historiens racontent que les prêtres étaient plus puissants que le pharaon lui-même. Bientôt, le roi commença une réforme religieuse et instaura une nouvelle croyance ne reconnaissant qu'un seul dieu : Aton. Il interdit la pratique de l'ancienne religion. Pour diminuer le pouvoir du grand prêtre, il lui retira sa fonction d'administrateur des biens d'Amon.

Amenhotep IV changea son nom pour Akhenaton, qui signifie « serviteur d'Aton ». Il créa une nouvelle capitale : Akhetaton, ou « l'horizon d'Aton ».

Le pharaon ne vivait que pour son dieu et sa nouvelle religion. Le maintien de l'Empire égyptien ne l'intéressait pas. Il perdit beaucoup de territoires aux mains des ennemis de l'Égypte. Ce fut une période fort perturbée.

Quand Akhenaton mourut, son successeur, Semenkharé, ne régna qu'un an. On ignore ce qu'il advint de lui. Ensuite, ce fut au jeune Toutânkhamon de régner. Il était à peine âgé de neuf ans et était le gendre d'Akhenaton. À l'aide du vizir Aÿ, il restaura la religion traditionnelle. Il gouverna jusqu'à l'âge de dix-huit ou dix-neuf ans. Encore aujourd'hui, on ignore la cause de sa mort.

Toutânkhamon n'ayant pas eu d'héritier, c'est le vizir Aÿ qui monta sur le trône. Mais déjà fort âgé, il ne fut au pouvoir que trois ou quatre ans. Aÿ n'ayant pas d'héritier, c'est finalement le général Horemheb qui devint pharaon à son tour. Ce dernier a complètement réorganisé le pays pour faire régner l'ordre, car l'Égypte sortait d'une période mouvementée. On dit de lui qu'il avait une poigne de fer. Horemheb a aussi tenté de faire disparaître toute trace de ses prédécesseurs, mais sans succès.

Sources bibliographiques

VERCOUTTER, Jean. *À la recherche de l'Égypte oubliée*, Paris, Gallimard, 1986.

HART, George. *Mémoire de l'Égypte*, Paris, Gallimard, 1990 (2002).

WHEELER, Lady. *Les grandes aventures de l'archéologie*, Paris, Robert Laffont, 1960.

Sites Internet

Civilisations.ca – Mystères de l'Égypte – Civilisation égyptienne:
http://www.civilisations.ca/civil/egypt/egcivilf.html

Tous les dieux de l'Égypte:
http://www.culture.gouv.fr/documentation/archeos/Glossaire/accueil_dieux.htm

Toutes les déesses de l'Égypte:
http://www.culture.gouv.fr/documentation/archeos/Glossaire/accueil_deesses.htm

Glossaire

Akhenaton : ce pharaon changea son nom pour Akhenaton lorsqu'il créa une nouvelle religion avec pour seul dieu Aton. Akhenaton interdit complètement l'ancienne religion vénérant plusieurs dieux et retira les fonctions administratives des prêtres d'Amon, très puissants à l'époque. Quand Akhenaton mourut dans des circonstances mystérieuses, son successeur, Toutânkhamon, revint à la religion traditionnelle.

Amon-Râ : Amon, patron de la ville de Thèbes, était représenté avec la tête d'un bélier ou comme un homme coiffé d'une couronne haute ornée de deux plumes. Dieu de l'air et de la fécondité, il était parfois appelé « Le Dieu Invisible ». Pendant la XVIIIe dynastie, il fut fusionné avec le dieu Râ (le dieu-soleil) et devint Amon-Râ.

Anubis : dieu de la momification et des embaumeurs. Protecteur des morts, il était généralement représenté par un chacal. Il accueillait les défunts dans l'au-delà et veillait sur eux.

Bastet : déesse représentée avec un corps de femme et une tête de chatte ou de lionne, ou sous la forme d'une chatte. Bastet symbolise à la fois la sérénité, le calme, la bienveillance, la féminité, la fertilité et les différents aspects protecteurs de la maternité.

Boutargue : friandise, semblable au caviar moderne, très appréciée des Égyptiens. La boutargue est faite d'œufs de poissons appelés muges ou mulets. Les œufs étaient pressés et salés.

Deuil : lorsqu'une personne mourait, les proches devaient porter du blanc et cesser de se couper les cheveux et de se raser, en signe de deuil. Des œuvres montrant un pharaon mal rasé, en deuil de son prédécesseur, ont été retrouvées.

Douat : endroit où «vivaient» les humains après leur mort, selon les croyances des Égyptiens. On utilisait parfois les termes «enfers», «au-delà», «monde inférieur», «monde céleste» et «pays des dieux» pour désigner ce lieu.

Encens : substance résineuse aromatique qui répand une forte odeur lorsqu'on la brûle. Les Égyptiens croyaient que cette odeur plaisait aux dieux. Ils en faisaient donc brûler souvent.

Fête d'Opêt : c'était l'occasion d'une grande procession allant de Karnak à Louxor et honorant la statue du dieu Amon-Râ. C'était aussi la seule fois où le peuple pouvait voir et admirer la statue du dieu.

Haleur : personne dont le métier est de remorquer les bateaux le long des cours d'eau à l'aide de longs cordages.

Hem-netjer-tepey : le grand prêtre d'un temple. Ce titre était surtout utilisé pour les grands centres de culte où il y avait beaucoup de prêtres. Il y aurait aussi eu quelques femmes grandes prêtresses, surtout au début de l'Antiquité.

Herminette : hachette à tranchant recourbé.

Hiéroglyphes : symboles semblables à des dessins. C'était le système d'écriture utilisé par les Égyptiens pendant l'Antiquité.

Hittites : peuple très puissant qui habitait sur un territoire couvrant une partie de la Turquie et de la Syrie actuelles. Les Hittites ont longtemps été en conflit avec les Égyptiens. Ils ont disparu vers l'an 1100 avant Jésus-Christ, avec l'invasion des Peuples de la Mer.

Horus : fils d'Isis et d'Osiris, il était le dieu-faucon, dieu du soleil et de la guerre. Il vengea la mort de son père, assassiné par Set, dieu du désert. Il était aussi le patron des rois, et la croyance voulait que le pharaon soit le dieu Horus incarné sur Terre.

Karnak : sanctuaire situé non loin, au nord de Thèbes. Ce site était dédié à Amon. On pensait que c'était le lieu où Amon s'était créé lui-même, et qu'il s'agissait du centre du monde.

Khépri : ce dieu a la forme d'un scarabée ou d'un homme à tête en forme de scarabée. Il est aussi parfois représenté comme un scarabée poussant le soleil devant lui. C'est le soleil du matin, la manifestation matinale du dieu solaire, la renaissance quotidienne de Râ.

Kheri-heb : celui qui récitait ou chantait les rites écrits dans les livres sacrés pendant les cérémonies et les processions. Il devait s'assurer de les lire correctement. Il récitait aussi des formules ou des prières pour appeler les dieux.

Khnoum : dieu à tête de bélier aux cornes horizontales, Khnoum, aussi appelé «le potier divin», aurait créé les humains. Il assurait la fertilité en dirigeant la moitié des eaux du fleuve vers le sud et l'autre moitié vers le nord.

Khonsou : le dieu-lune, fils d'Amon et de Mout. Il est souvent représenté avec une tête de faucon ou comme un jeune homme au crâne rasé avec une seule mèche de cheveux. Sous ces deux formes, il est coiffé du disque lunaire.

Lapis-lazuli : pierre fine d'un bleu azur ou d'outre-mer.

Limon : fines particules de terre entraînées par les eaux du Nil et déposées sur les rives du fleuve. Cette substance rendait la terre fertile.

Lin : tissu fait de fibres textiles tissées et provenant de la tige d'une plante appelée elle-même lin. Cette plante est une herbe à fleurs bleues.

Louxor : site religieux important situé au sud de Thèbes. C'était l'une des villes sacrées d'Amon-Râ.

Maison de Vie : école spécialisée où les jeunes scribes faisaient l'apprentissage de l'écriture.

Momification : processus funéraire long et compliqué. On mettait près de soixante-dix jours à le compléter. Les prêtres retiraient les organes du corps pour les mettre dans des récipients spéciaux appelés «vases canopes». Le corps était mis dans un bassin de natron* (voir plus loin) qui l'asséchait et permettait de le conserver. Ce processus durait quarante jours. Ensuite, le corps était rempli de boue du Nil, de sciure de bois, de lichen et de bouts de tissu. Les yeux étaient remplacés par des oignons. Le corps était ensuite lavé, enveloppé de fines bandelettes de lin enduites de résine, puis plongé dans les huiles et les résines. Entre les couches de bande-lettes, on insérait des amulettes et des pierres précieuses. Enfin, on posait un masque d'or sur le mort. Au cours de chaque étape de la momification, un prêtre portant un masque d'Anubis, dieu des morts, lisait des formules sacrées.

Mout : épouse du dieu Amon, elle était représentée par un vautour ou par une femme coiffée d'une dépouille de vautour surmontée de la double couronne.

Myrrhe : gomme-résine aromatique très parfumée. On en mettait dans le corps avec d'autres substances au début de la momification, pour prévenir les odeurs nauséabondes.

Naos : mot grec signifiant « lieu où réside un dieu ». C'est la partie centrale d'un temple, généralement fermée, où se trouvait la statue du dieu. Des prêtres avaient pour mission de prendre soin de la statue : de la laver, de la vêtir, de la « nourrir » par des offrandes, etc.

Natron : poudre désinfectante composée de sel et de bicarbonate de soude. Le natron servait à dessécher les corps en vue de la momification.

Nilomètre : puits communiquant avec le Nil. Il servait à mesurer le niveau de l'eau. Cela était surtout utile pendant les crues, quand le fleuve sortait de son lit.

Nout : on croyait que le corps de cette déesse formait l'arche du ciel. On racontait que, toutes les nuits, Nout avalait Râ, le dieu-soleil, pour le rendre à la vie le matin venu.

Novice : personne qui passe une période d'épreuve dans un temple avant de prononcer des vœux définitifs et de devenir membre à part entière d'un ordre religieux.

Osselets : jeu d'adresse consistant à lancer, puis à rattraper de petits os de mouton.

Ostraca : tesson de poterie ou éclat de calcaire sur lesquels les apprentis scribes pratiquaient leur art.

Oudjat : parfois considéré comme l'œil de Râ, parfois comme l'œil d'Horus, l'oudjat est un talisman qui protège celui qui le porte contre les mauvais sorts. Il garantit aussi la bonne forme physique et la fertilité.

Pagne : pièce de tissu faite d'une plante appelée lin et qui est attachée autour des hanches. Les pauvres comme les riches portaient ce vêtement, mais les pagnes des gens de la noblesse étaient de meilleure qualité.

Papyrus : plante poussant sur les bords du Nil. On fabriquait des sortes de parchemins, eux-mêmes appelés papyrus, à l'aide de la tige. Les espèces de papyrus qui poussaient à l'époque de Snéfrou sont aujourd'hui disparues.

Pectoral : grand collier orné de pierres précieuses que les nobles égyptiens portaient sur la poitrine comme insigne de leur dignité.

Pylône : grand mur de pierre massif incliné et élevé à l'entrée d'un temple. Il était constitué de deux tours massives en forme de trapèzes qui enserraient le portail d'entrée. Un pylône ressemblait aussi à une pyramide tronquée.

Râ : aussi appelé Rê ou Amon-Râ, c'était le dieu-soleil ; le plus important du panthéon égyptien. Roi et père des dieux, il était représenté avec une tête de faucon surmontée d'un disque solaire.

Salle hypostyle : grand hall situé à l'entrée du temple, tout de suite après la cour. Cette salle servait à accomplir certains rituels. Le terme *hypostyle* signifie « dont le plafond est soutenu par des colonnes ».

Scribe : celui qui, dans la société égyptienne, savait lire et écrire. À cette époque, seul un très petit groupe de privilégiés, généralement des nobles, pouvaient apprendre à lire et à écrire. Ils rédigeaient les chroniques de la royauté, les textes religieux et juridiques, les traités de médecine et de pharmacie, de mathématiques et de morale. Ils étudiaient parfois dans une école spécialisée appelée la « Maison de Vie ». Les scribes devaient d'abord apprendre les signes par cœur, puis ils recopiaient des textes anciens. Ensuite, ils apprenaient le

dessin, puis des notions plus géné-
rales, comme les mathématiques et
la géographie. La plupart des scribes
étaient des hommes, mais, à l'occasion, quelques femmes apprenaient
à écrire.

Sems : prêtres mortuaires qui accomplissaient les rituels élaborés de
momification et d'enterrement.

Sistre : instrument de musique à percus-
sion souvent utilisé par les prêtres.
Il ressemblait à un hochet garni de
petits objets comme des coquillages
ou des rondelles, qui s'entrecho-
quaient lorsqu'on le secouait.

Sobek ou Sebek : le nom de ce dieu à tête
de crocodile signifie « celui qui rend
enceinte ou fertile ». Les Égyptiens
croyaient que Sobek irriguait leurs
champs. Il était particulièrement
vénéré dans la région du Fayoum et
dans la ville de Kom Ombo.

Temple d'Amon-Râ : dans la ville de
Thèbes, le grand temple était dédié au
dieu Amon-Râ. C'était une structure
gigantesque. La première entrée était
décorée par deux obélisques et un

pylône. Elle donnait sur la grande cour où se trouvait le palais royal. Venait ensuite la seconde entrée, pareille à la première, menant à la vaste salle hypostyle décorée de grandes colonnes. Elle menait à plusieurs sections importantes. Il y avait d'abord la Maison de Vie, où l'on formait les scribes. L'une de ces sections était le sanctuaire, ou naos, salle dans laquelle était gardée la statue du dieu Amon-Râ. Enfin venaient la chapelle des barques sacrées, le lac sacré entouré d'arbres et la maison du grand prêtre.

Thèbes : fondée par des princes deux mille deux cents ans avant Jésus-Christ, cette ville fut longtemps la capitale de l'Égypte. Thèbes était également une puissante métropole religieuse. Le palais royal du pharaon y avait été érigé. Thèbes ayant été détruite six cents ans avant Jésus-Christ, il ne reste plus de cette cité que des ruines, outre les superbes temples de Louxor et de Karnak.

Toutânkhamon : jeune pharaon qui vécut près de treize siècles avant

Jésus-Christ. Il monta sur le trône vers l'âge de neuf ans, mais mourut à dix-huit ans. La découverte du tombeau intact de Toutânkhamon par l'archéologue Howard Carter, en 1922, le rendit très célèbre. Certains historiens soutenaient qu'il avait été assassiné. Lors d'examens tout récents sur son corps momifié, on a remarqué que, contrairement à ce qu'on avait toujours cru, ce pharaon n'était pas mort d'un coup à la tête. On ignore encore comment il est décédé, mais une fracture à la jambe serait peut-être en cause. Bref, le mystère demeure.

Triade thébaine : la famille sacrée de la ville de Thèbes. Elle était constituée d'Amon, de son épouse Mout et de leur fils Khonsou. C'étaient les patrons et protecteurs de Thèbes.

Uræus : l'uræus désigne la déesse qui personnifiait l'œil brûlant de Râ et symbolisait la nature brûlante des couronnes. Représenté sous la forme d'un cobra femelle en furie, il était porté au front ou sur la couronne du pharaon et de certaines divinités. Son rôle était de protéger le pharaon contre ses ennemis.

Vases canopes : au cours de la momification, on plaçait les organes du mort dans ces vases. Chacun d'eux gardait un organe en particulier. Celui qui préservait le foie portait sur son couvercle la tête d'Amset ; celui qui conservait les poumons, la tête d'Api ; celui qui gardait l'estomac, la tête de Douamoutef ; et celui qui conservait les intestins, la tête de Qébehsénouf. Le cœur était le seul organe laissé dans le corps du défunt.

Structure d'un temple égyptien

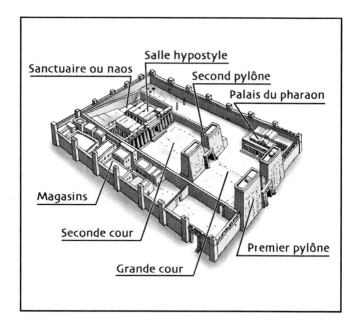

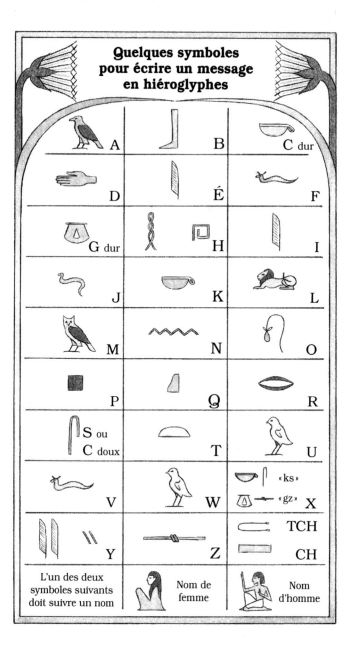

Quelques symboles pour écrire un message en hiéroglyphes

A	B	C dur
D	É	F
G dur	H	I
J	K	L
M	N	O
P	Q	R
S ou C doux	T	U
V	W	«ks» / «gz» X
Y	Z	TCH / CH
L'un des deux symboles suivants doit suivre un nom	Nom de femme	Nom d'homme

Table des matières

Evelyne Gauthier

Evelyne Gauthier a toujours été une passionnée de lecture et d'écriture. Titulaire d'un baccalauréat spécialisé en Études françaises de l'Université de Montréal, elle a été une collaboratrice au journal étudiant de son département.

Pendant ses études, elle a effectué dans le milieu québécois de l'édition un stage qui lui a permis de découvrir le monde de la publication. Mais son entrée officielle dans l'univers de la littérature a eu lieu dès 1996, alors qu'elle n'avait que 19 ans, lorsqu'elle remporta le Premier Prix du Marathon intercollégial d'écriture, du cégep André-Laurendeau. Actuellement, elle travaille pour une maison d'édition reconnue et pour une association d'auteurs.

Derniers titres parus dans la
Collection Papillon